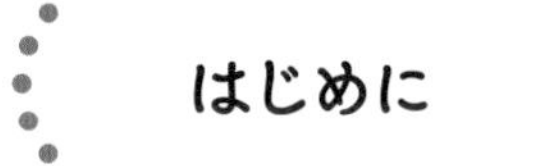

料理を作ってみましょう。

はじめはむずかしいかもしれません。

カンタンなものから始めましょう。

少しずつ上手にできるようになります。

この本の中で食べたいものを作ってみてください。

出来上がったら家族にも食べてもらいましょう。

おいしいと言ってもらえるとうれしくて、料理が大好きになります。

自分の食べるものを作れて、人にも作ってあげられようになってください。

渡辺あきこ

本書の使い方

◆野菜は水で洗ってから使います。

◆切る・火を使うときは、かならず大人が見守りましょう。

◆材料を量るときに使う単位は、mL＝ミリリットル、g＝グラムと読みます。

◆○/□＝1つのものを□個に分けたものが○個あることです。例えば1/2＝2分の1と読みます。

◆電子レンジの単位はW＝ワットと読みます。

◆各レシピには以下のマークがついています。
レベル●○○からはじめても、好きなメニューからはじめても大丈夫です。

レベル ●○○
はじめてでもカンタンに作れる

レベル ●●○
ちょっとがんばれば作れる

レベル ●●●
チャレンジメニュー

キホンからごちそうまで！

10歳からのひとりでお料理ブック　もくじ

料理で使う道具と基本の使い方

まずは1つの食材からはじめよう！

ごちそうごはんを作ろう！

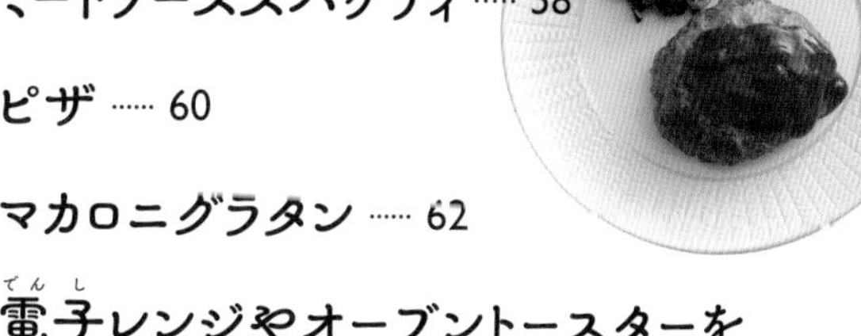

おいしいごはんのために大切なこと

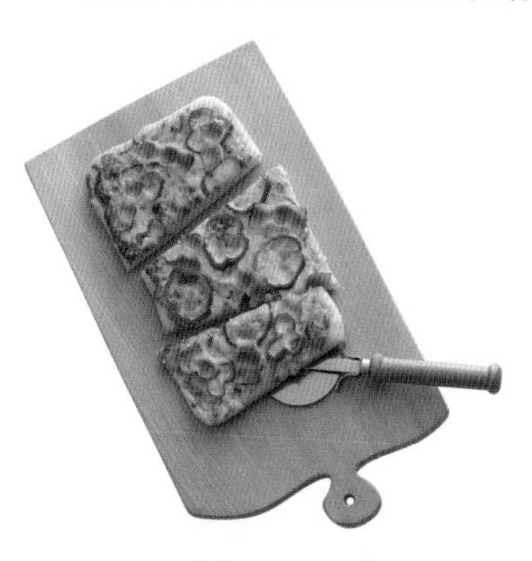

料理で使う道具と基本の使い方

切る・すりおろす・皮をむく道具

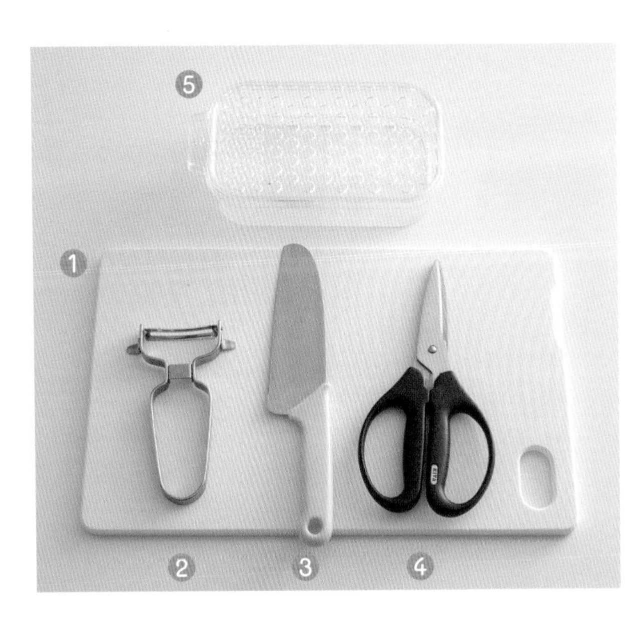

①まな板

肉や野菜などを切るときに使う。

②ピーラー

皮を薄くむくために使う。

③包丁

食材を切る道具。子ども向けもある。

④キッチンばさみ

食材を切る道具。包丁よりもかんたんに扱える。

⑤おろし器

食材をすりおろすのに使う道具。

ピーラーの使い方

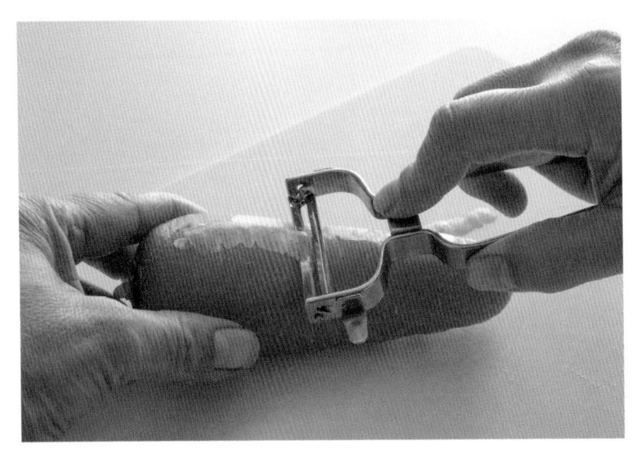

野菜の皮をむくのに使う。じゃがいもの芽を取るときも便利。

芽取り

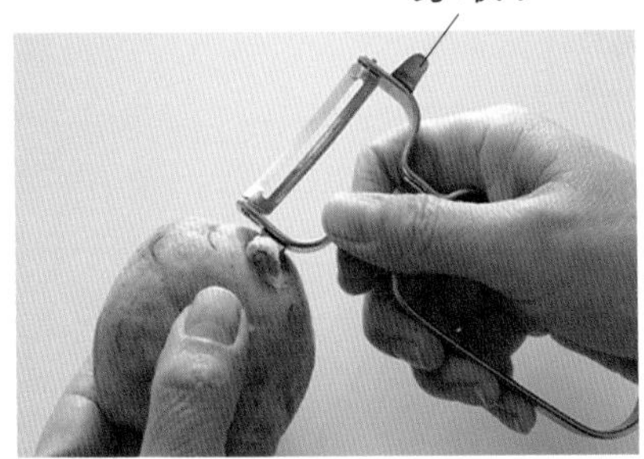

包丁の基本的な使い方

持ち方

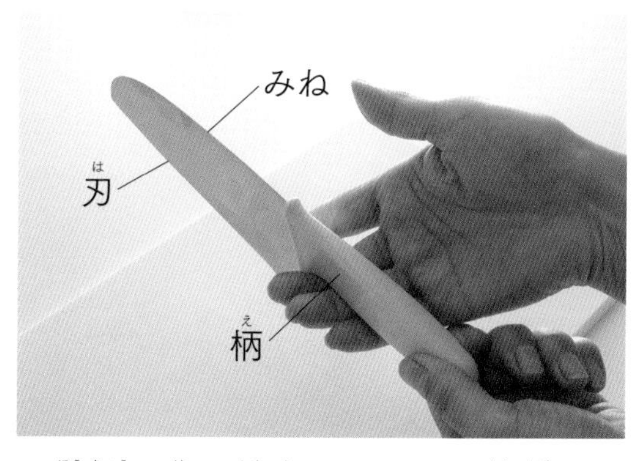

❶包丁の刃は下向きにする。中指から小指まで３本の指に包丁の柄をあててのせる。

❷親指と人差し指で包丁の刃元をしっかり挟む。

置き方

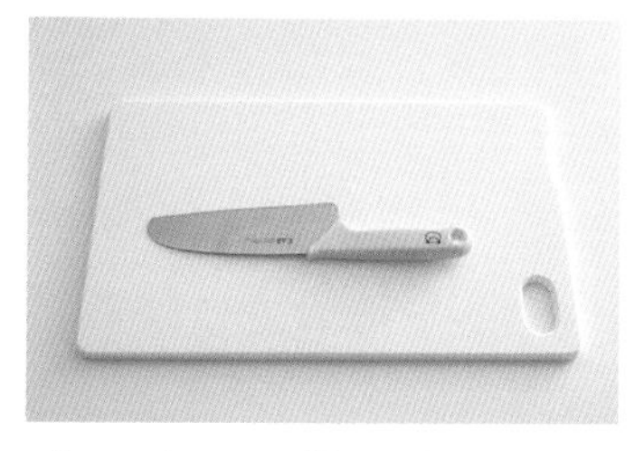

刃を向こう側に向けてまな板に置く。

食材の押さえ方

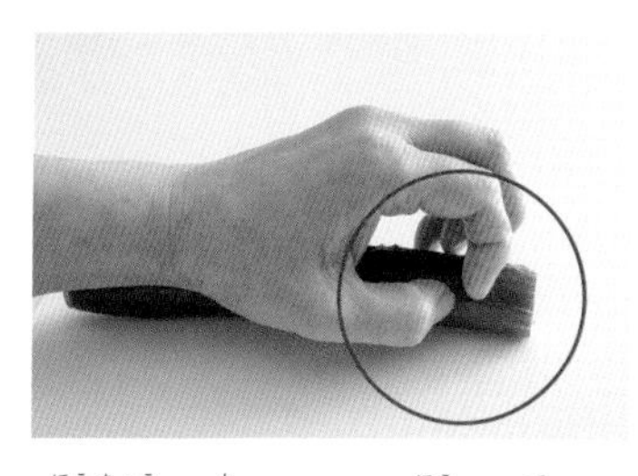

包丁を持たない方の手を軽くにぎって指先を切らないように猫の手のようにし、食材を押さえる。

切り方

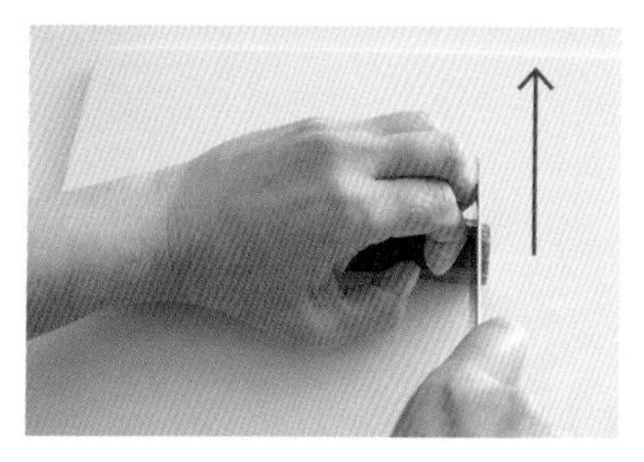

包丁の刃を食材に当ててまっすぐに切る。包丁の刃を前に押し出すようにして切る。

色々な切り方

薄切り

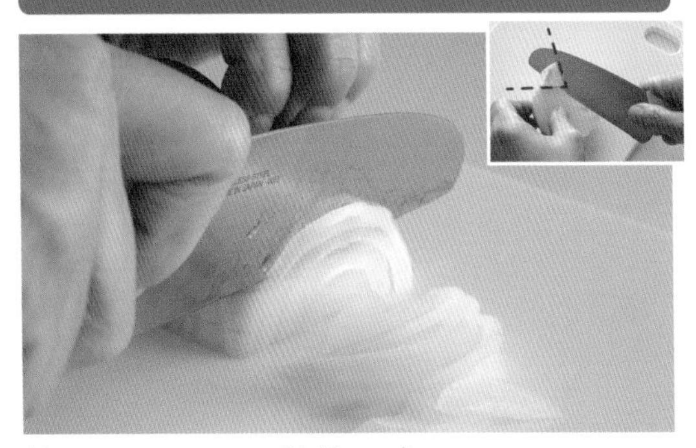

皮をむき、タテ半分に切ったたまねぎの芯の部分を切り落とし（右上写真）、タテに薄く切る。

5ミリ幅に切る

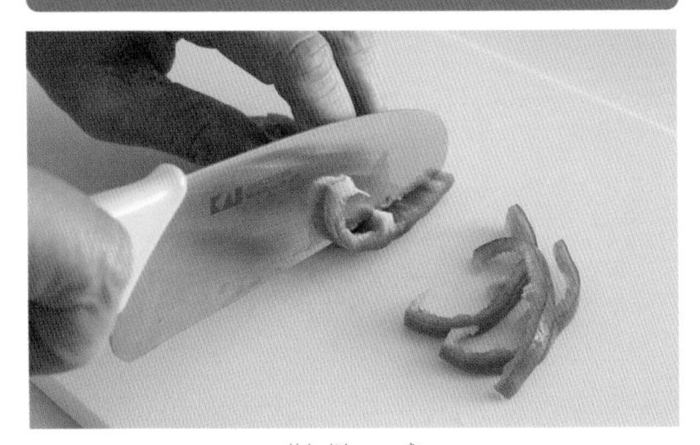

ピーマンをタテ半分に切って、タネとワタを取ったらかたい方を下において、5ミリ幅に切る。

半月切り

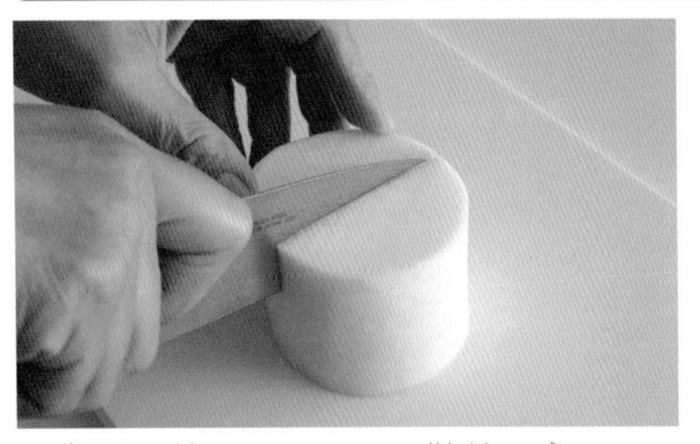

❶大根の皮をむき、タテ半分に切る。

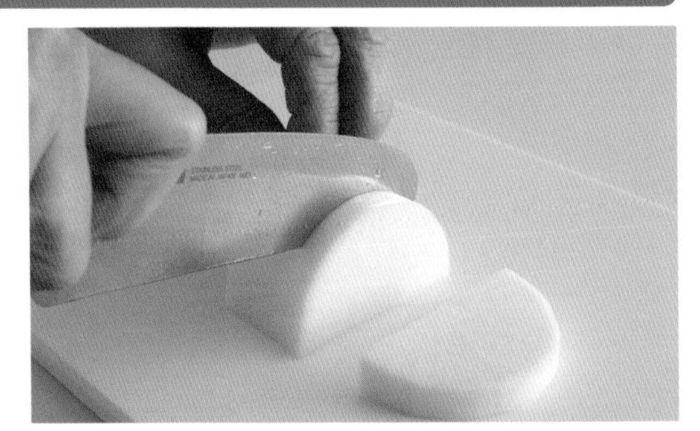

❷ヨコに倒して1センチの厚さに切る。

イチョウ切り

❶半月切りの❶のあと、ヨコに倒して半分に切る。

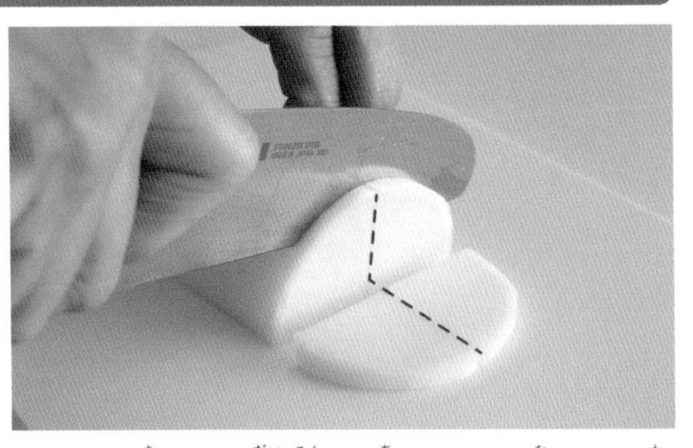

❷❶で切った大根を合わせ、向きを変えて薄く切る。

拍子木切りからさいの目切り

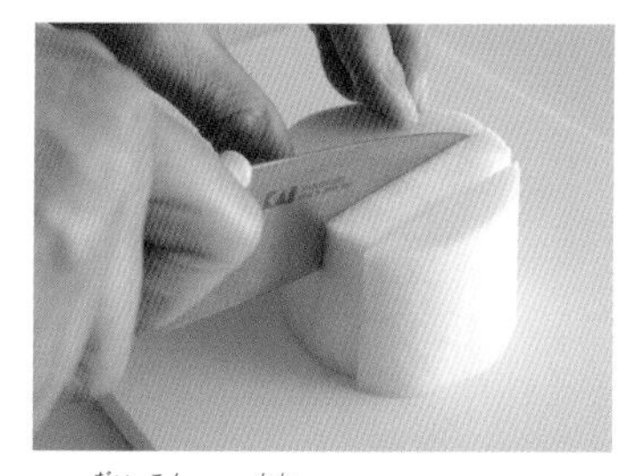

❶大根の皮をむき、1センチほどの厚さになるように、タテに切る。

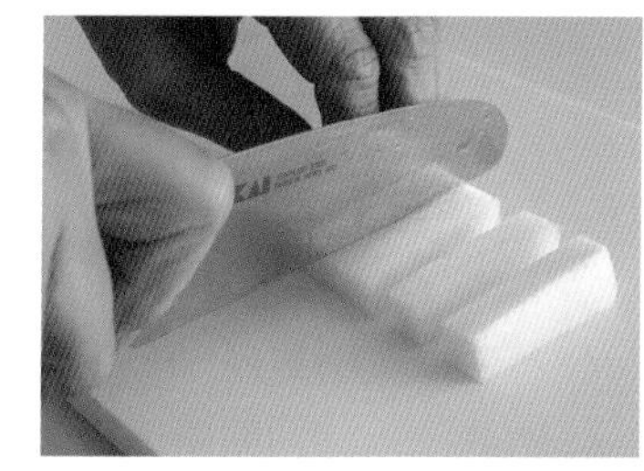

❷タテに倒して、1センチほどの幅に切る。これで拍子木切りの完成。

❸拍子木切りにした❷を、さらに1センチ角になるように切る。これでさいの目切りの完成。

くしがた切り

❶トマトをタテ半分に切り、かたい方を下において真ん中から半分に切る。

❷芯とヘタを取り除く。

小口切り

細ねぎなど細長い材料を、端から同じ幅に切る。4～5本まとめて切ると、切りやすい。

厚みや大きさがそろうように切ると火の通りがそろい、きれいに仕上がります。

みじん切り

こちら側も同じように

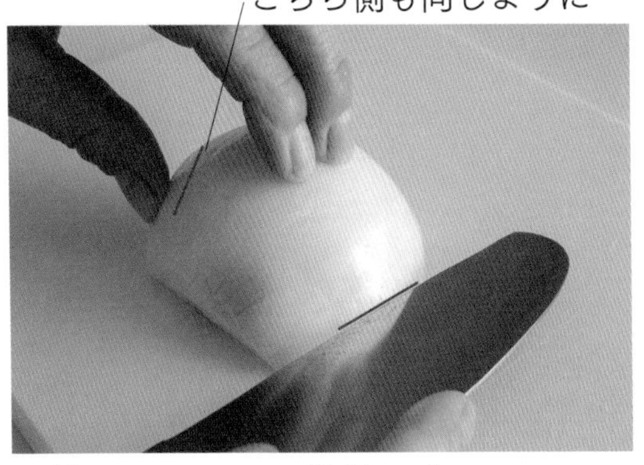

❶皮をむき、タテ半分に切ったたまねぎをおき、両端にヨコから2〜3本切れ目を入れる。

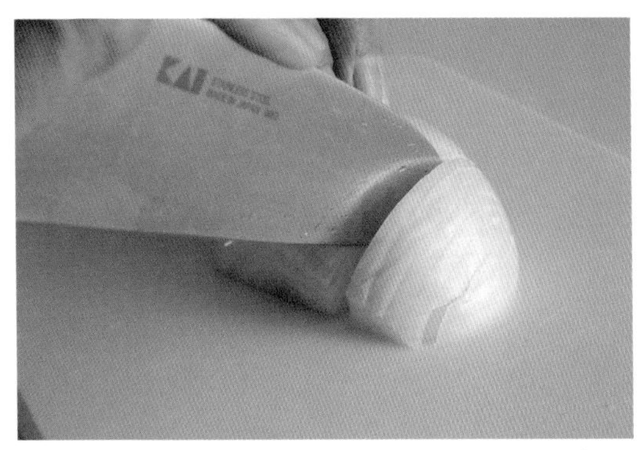

❷芯を向こう側にして、向こう側を切り離さずにタテに細く切り込みを入れる。ここさえ細かくできればきれいに仕上がる。

❸向きを90度回してタテに薄く切る。

冷蔵庫から出したてのたまねぎは、みじん切りしても目が痛くなりにくい。

計量する道具

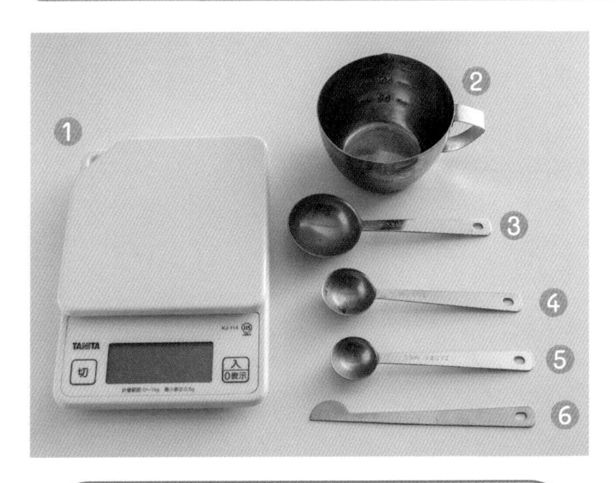

❶キッチンスケール

食材を量る量り。器をのせた段階で0g（グラム）になるように調整する。

❷計量カップ

主に液体を量るときに使う。1カップは200mL（ミリリットル）。

❸大さじ

調味料などを量るときに使う。大さじ1は15mL（ミリリットル）。

❹小さじ

調味料などを量るときに使う。小さじ1は5mL（ミリリットル）。メーカーによっては小さじ1/2（2分の1）のさじ❺や、すり切り用のヘラ❻もある。

分量外って知ってる？

レシピの材料リストで書かれたもの以外に、調理するときに必要な材料やその量のこと。

調味料はこう量るよ！

◆「大さじ1」「小さじ1」

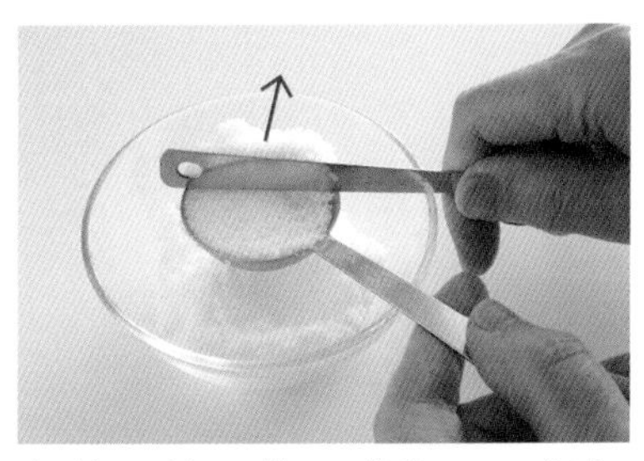

砂糖や塩を量る場合は、最初は盛り上がるくらいにすくい入れて、すり切り用のヘラか菜ばしですり切る。

◆「大さじ1/2」「小さじ1/2」

砂糖や塩を量る場合は、すりきりにし、半分に切って落とす。1/4（24ページ）はさらに半分に、1/6（25ページ）は半分の1/3にする。小さじ1/8が「少々」の目安。

◆「大さじ1」「小さじ1」（液体の場合）

しょうゆなど液体を量る場合は、さじを水平に持ち、ふちすれすれまで入れる。

焼く・炒める・煮る・揚げるのに使う道具

❶片手鍋

汁物や煮物を作るときは片手鍋が便利。1人分から2人分なら直径18センチの大きさがおすすめ。

❷フタ

透明なフタは、調理の様子がわかるので便利。

❸卵焼き器

長方形の卵焼きが作りやすい。

❹フライパン

直径24センチが一般的。1人分や2人分のときは小さめの直径20センチが便利。

❺フライ返し

焼いたものをひっくり返すときに使う。

火加減のめやす

◆弱火

炎がフライパンの底につくかつかないかくらいの火加減。

◆中火

炎がフライパンの底にちょうど届くくらいの火加減。炒め物に。

◆強火

炎がフライパンの底に勢いよく当たるくらいの火加減。ごく短時間使う。

電子レンジで加熱するときは……

耐熱ガラス容器や陶器で加熱

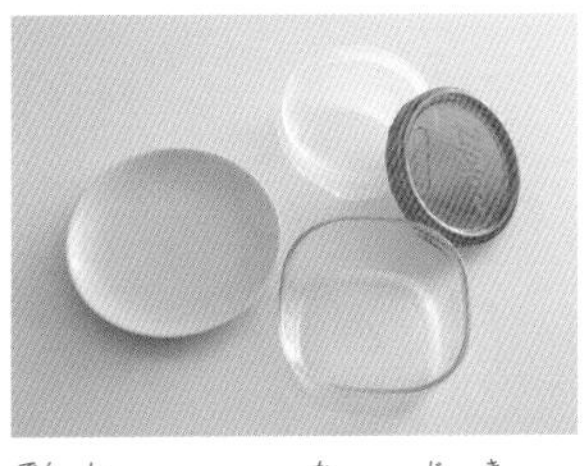

電子レンジ可の磁器や陶器、電子レンジ用耐熱容器、耐熱ガラス製の器などを使用するようにしましょう。

ラップはふんわりとかける

加熱中に破裂することを防ぐため、ぴっちり閉じすぎないように、ふんわりとかけましょう。

取り出すときはミトンやふきんを使って

加熱したあとの容器はとても熱くなっているので、ミトンやかわいたふきんを使って安全に取り出すようにしましょう。

入れてはいけないもの

金属製の容器やアルミケース、金のふちのついたもの、金属製のボウルは使わないでください。

器や便利な道具

1 ボウル

食材を混ぜたり冷やしたりするときに使う。大小あると便利。

2 ガラスボウル

耐熱ガラスのものは電子レンジにかけることができる。大小あると便利。

3 バット

切った材料を並べたり、下味をつけるなど料理の下ごしらえに使う。

4 ザル

野菜や麺の水切りなどに使う。

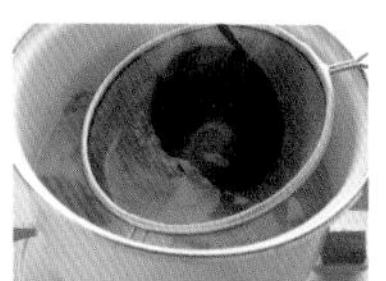

ストレーナー

小さな取っ手つきのザル。粉ふるいやみそを溶き入れるのに便利。

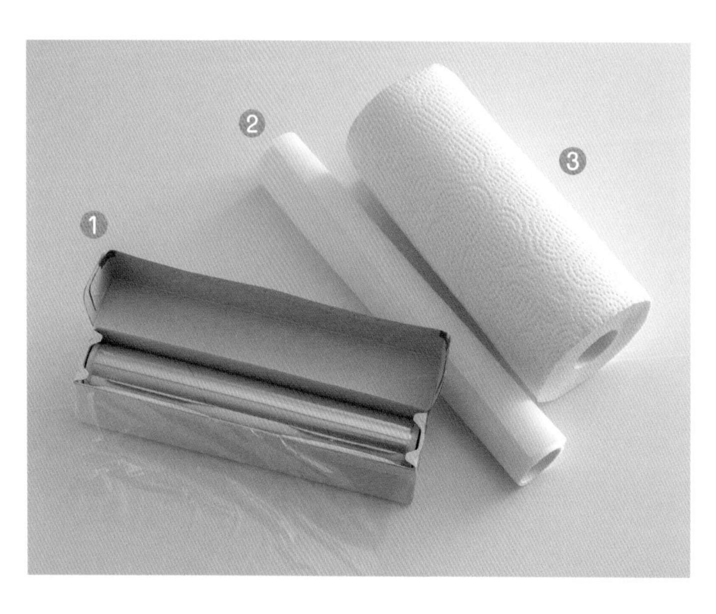

1 ラップ

食材がかわくのを防ぐ。電子レンジ加熱のときに器にふんわりかけるのにも使う。

2 クッキングシート

フライパンに敷いて焦げ付きを防いだり、落としブタにして使う。

3 キッチンペーパー

食材の水気をふいたり、油切りや食器ふきに使う。

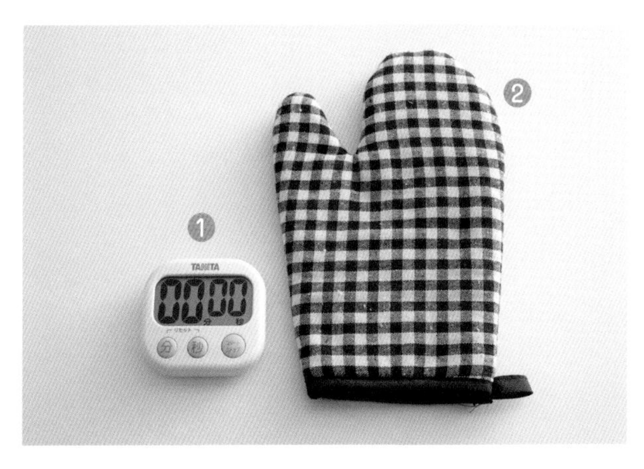

❶ キッチンタイマー

時間を計るときに使う。時間になると音が鳴るので、下ごしらえや加熱時間の目安に活用。

❷ ミトン

電子レンジやオーブントースターから食材を取り出すとき、熱いものを触るときなどに使う。

めん棒

ピザ生地などをのばすのに使う。

カード

ピザ生地を切ったり、材料を分けたりするのにも使う。

混ぜる・よそう・つかむのに使う道具

❶ スプーン

混ぜたりすくったりするときに使う。

❷ しゃもじ

ごはんをよそうときに使う。

❸ 泡だて器

材料を混ぜたり泡だてるときに使う。

❹ おたま

汁物をよそうときに使う。

❺ トング

肉や野菜のかたまりをつかむときに便利。

❻ ヘラ

混ぜるときに使う。シリコン製は材料や汚れがはがれやすく熱にも強い。

❼ 木べら

混ぜるときに使う。炒めるときやこげつかないように混ぜるときに便利。

❽ 菜ばし

料理を作るときに使うはし。つかむ、混ぜる、盛り付けるときなど、あらゆる調理に必要。

まずは1つの食材からはじめよう！

ごはん

ごはんを炊く

レベル ●○○

❶お米を量る

※炊飯器の炊くモードによって時間は変わります。

お米は1合180mL。米専用の計量カップすり切り1杯を量る。ここでは2合分のお米を炊く。

❷お米を洗う

ボウルに水を入れてザルに入れたお米をドボンとつける。

利き手の指を少し広げてお米を洗う。大きく2〜3回かき混ぜてすぐに水からザルを出す。

指で米をつかんでとぐ。そのあと新しい水で2回すすぐ。

水の色は写真くらい白く濁っていても大丈夫。

ザルに上げて水気をきる。

❸ごはんを炊く

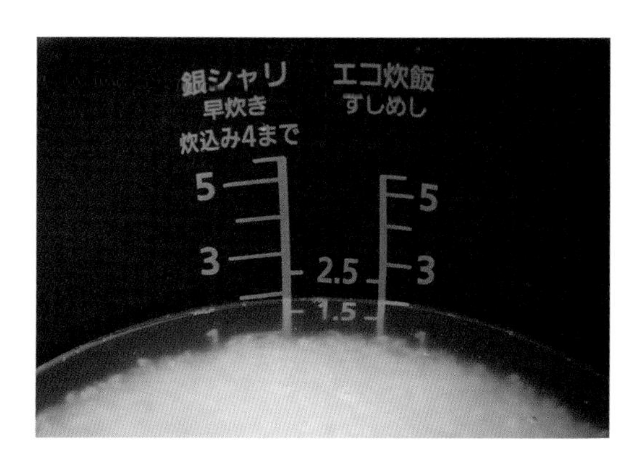

炊飯器の内釜に、洗ったお米とお米の分量に合った水を目盛りまで入れ、炊飯器の本体にセットする。炊く前に30分浸水（お米を水に浸けること）させてから炊飯のスイッチを押すようにすると、よりおいしくなる。

※最近の炊飯器の炊飯時間は「浸水工程」も含まれているので、すぐにスイッチを押しても大丈夫です。

ポイント

ごはんが炊きあがったら空気を入れて混ぜよう！

炊きたてのごはんには、表面に余分な水分がついているので、水分でごはんがふやけてしまいます。そうするとごはん粒同士がくっついて、かたまってしまうためおいしさを逃してしまいます。炊きあがったらすぐにしゃもじで底のほうから大きく混ぜほぐすと、余分な水分がとんで、ごはんがふわっとしておいしくなります。

レベル ●○○

おにぎり

15分

材料（3個分）

温かいごはん（作り方は14ページ）……300g
鮭フレーク……大さじ1
昆布の佃煮……小さじ2
ゆかりふりかけ……少々
塩……少々
のり（おにぎり用）……2枚

47都道府県で違うおにぎり

北海道、青森など北日本は円盤型、静岡、愛知の海沿いではのりで包む、富山、福井などはまんまる、大阪、京都などの近畿は俵型、中国、四国地方は海産物のおにぎり、福岡、宮崎など九州地方は肉や炊き込みごはんのおにぎりなど、各地方で個性があります。

作り方

1 茶碗の表面にラップを広げ、塩ひとつまみをふり入れる。

2 ごはんを入れ、まんなかにくぼみを作る。

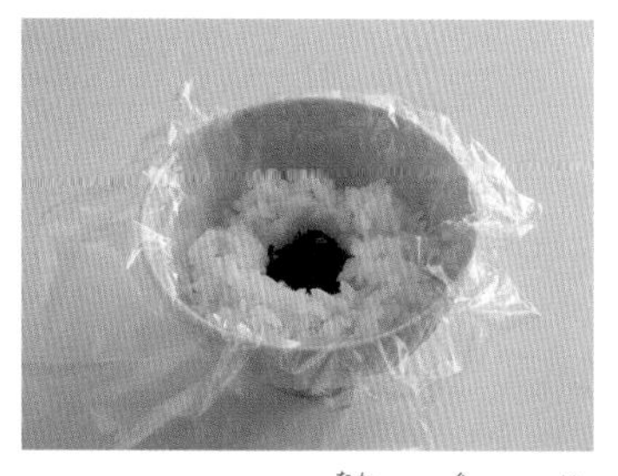

3 くぼみの中に具を入れ、まわりのごはんをかぶせ塩ひとつまみをふる。具は飾り分を残しておく。

4 ラップをとじ、ごはんを手のひらにのせて丸くにぎる。

5 上の手を山型にして三角ににぎったら、ラップをはずしてのりで巻く。昆布、鮭を少しのせる。

ゆかりおにぎりは具を入れずに三角ににぎり、ゆかりをふりかける。

レベル ●○○

ゆで卵

15分

● 材料（2個分）

卵 ………… 2個
水 … 卵がかぶるくらい（5カップくらい）
酢 ………… 大さじ1
ゆで卵を切る糸

作り方

※小さい鍋のときにはコンロの上に網をのせると安定します。

1 小さくて深い鍋に卵を入れ、卵がかぶるくらいの水を入れ、酢を入れる。

2 **中火**にかけ沸騰したら**弱火**にし8〜11分ゆでる。沸騰してから8分で半熟卵、11分でかたゆで卵になる。

3 おたまですくってボウルにはった水につける。水が温まったらとりかえる（すぐ冷ますと卵黄が黒ずまない）。

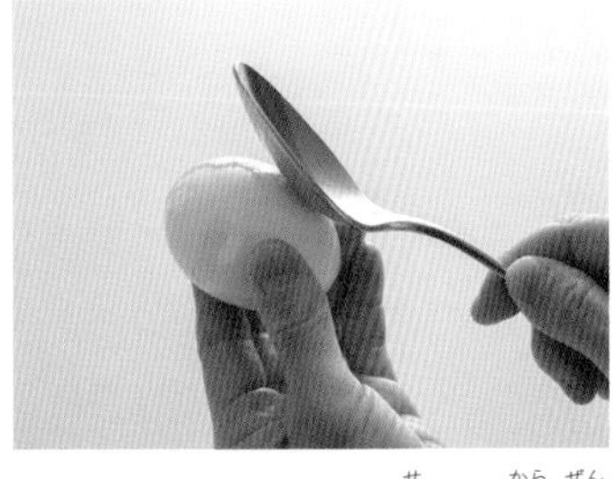

4 スプーンの背で殻全体をたたいてひびを入れる。

5 ボウルにはった水をつけながら殻をむく。

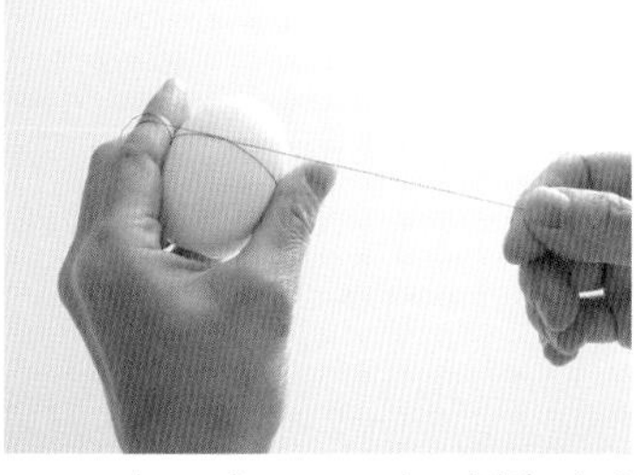

6 糸で切る。糸を卵の中心に一巻きし、糸を引っ張る。

レベル ●○○

目玉焼き

10分

材料（1人分）

卵 ………… 1個

サラダ油 ………… 小さじ1/2

塩 ………… 少々

こしょう ………… 少々

作り方

1 卵を割る。平らな台に打ちつけてヒビを入れる。

2 小さな器に割り入れる。

3 小さいフライパンにサラダ油を入れて広げ、**中火**にかけ、温まったら卵をフライパンにそっと入れる。

外はこんがり、白身はふっくら。黄身を割るととろんと中身が出ておいしい。

4 **弱火**で6～7分焼く。塩、こしょうをふる。

レベル ●○○

スクランブルエッグ

10分（ぷん）

材料（1人分）

卵	2個
塩	少々
こしょう	少々
牛乳	大さじ1
サラダ油	小さじ2
バター	5g
トマトケチャップ	適量

かたむけると卵がよくふくらむよ。

牛乳を入れるとやわらかく仕上がるよ。

作り方

1 ボウルに卵を割り入れて菜ばしで溶きほぐす。

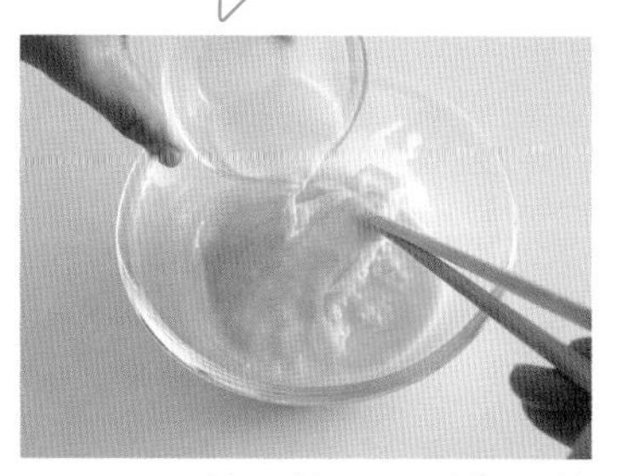

2 1に塩（人さし指の先にのるくらい）、こしょう、牛乳を加えて混ぜる。

3 フライパンにサラダ油を入れて**中火**で熱しフライパン全体になじませる。フライパンをかたむけて油がたまったところに卵液を注ぎ入れる。

4 全体がふくらんできたらフライパンを平らに戻し、菜ばしで大きく混ぜてあらくほぐす。

5 仕上げにバターを入れてからめる。

6 器に盛り付け、トマトケチャップを添える。

レベル ●●○

卵焼き

材料（1人分）

- 卵 …… 2個
- A
  - 水 …… 大さじ1
  - 砂糖 …… 大さじ1
  - 塩 …… 少々
  - しょうゆ …… 小さじ1/2
- サラダ油 …… 適量

15分

作り方

カラザって知ってる？

卵を割ったときに卵黄のまわりについてくる白いひも状のものです。カラザをとってよく卵を溶くと、黄色いきれいな卵焼きを作ることができます。

1. ボウルに卵を割り入れる。フォークでカラザを取ったら、菜ばしで白身と黄身を切るように溶く。
2. 別の小さいボウルにAを混ぜ合わせ、1の卵に加えて混ぜる。
3. キッチンペーパーを小さく切って折る。小皿にサラダ油を入れて浸す。

たらした卵がすぐ白くなりジュッと音がするくらいの温度にする。すぐ焦げるようなら熱すぎる。

4 卵焼き器に3の油をぬり、**中火**で温める。

5 卵液を鍋にたらして鍋の温度を確認する。

6 卵液の1/3を入れて広げる。

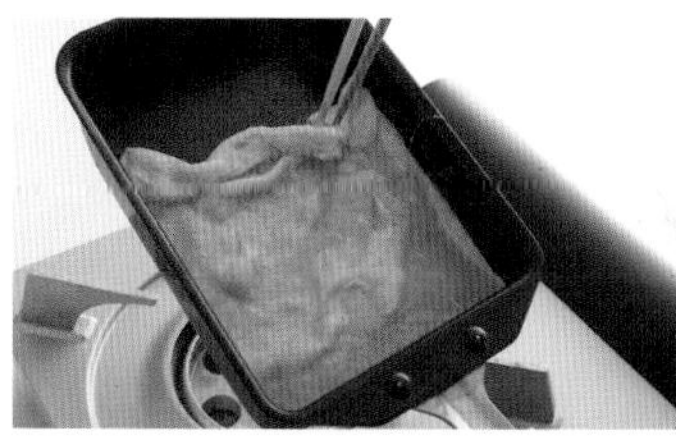

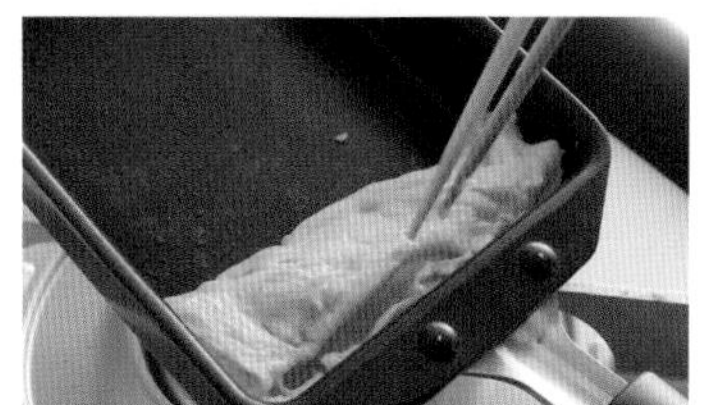

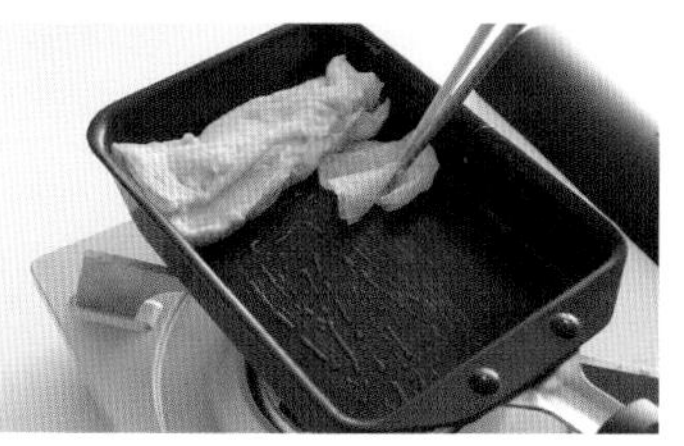

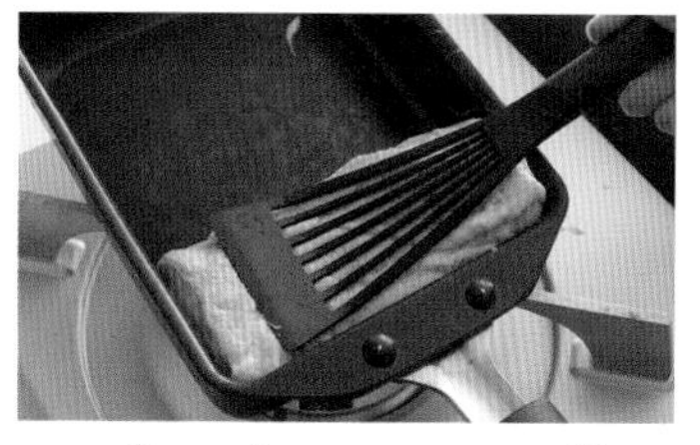

7 半熟になったら向こう側から手前に巻く。巻き終わったら卵焼き器の向こう側に置き、空いたところに油をぬる。

8 温度を確かめて残りの卵液を半分入れる。そのとき、焼いた卵を菜ばしで持ち上げて下にも流し入れる。かたまりはじめたら向こう側から巻く。同じようにして残りの卵液を入れて焼き、巻く。

9 端に寄せてフライ返しで押さえて形を整え、まな板に取り出したら、食べやすい大きさに切る。

レベル ●○○

レタスのサラダ

10分

材料(1人分)

レタス …… 1～2枚

〈ドレッシング〉(2～3回分)

酢 …… 小さじ2
砂糖 …… 小さじ1/4
塩 …… 小さじ1/4
サラダ油 …… 大さじ2

作り方

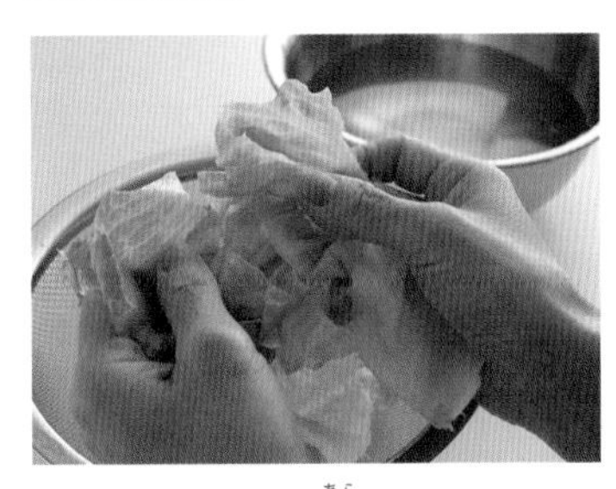

1 レタスは洗って3～4センチ四方の大きさになるように手でちぎる。

2 パリッとするまで5分ほど冷たい水につける。

3 ザルにあげ、ザルをふって水気をよくきって器に盛る。

ドレッシングを作る

4 ビンに酢、砂糖、塩を入れてフタをしてふり、サラダ油を加えてもう一度フタをして、混ざるまでふる。

5 よく混ざったら完成。食べるときにドレッシングをかける。

レベル ●○○

キャベツのコールスロー

15分

材料（1人分）

キャベツ……100g
塩……小さじ1/6
マヨネーズ……大さじ1
酢……小さじ1/2
砂糖……小さじ1/6

作り方

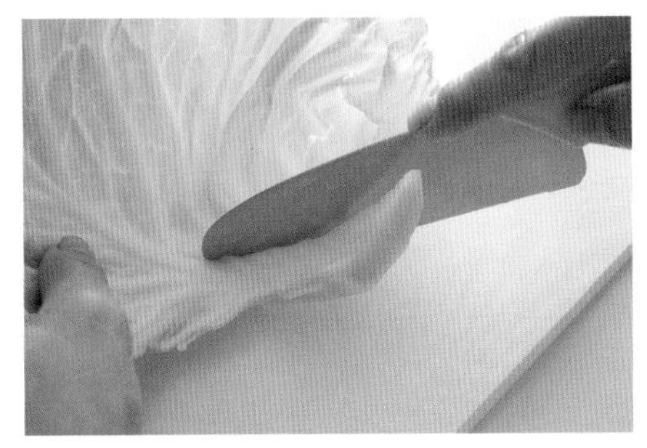

1 キャベツは太い芯を切りはずし、幅4センチに切る。芯は薄切りにする。

2 キャベツの葉を重ねて端から細く切る（2～3ミリ幅）。芯も下に入れて一緒に切る。

3 2をボウルに入れ、塩をまぶし、しんなりするまで10分ほどおく。

4 別のボウルにマヨネーズ、酢、砂糖を入れて混ぜ、3を入れて菜ばしで混ぜて全体に味をなじませる。

野菜

レベル ●○○

トマトのサラダ イタリア風

5分

● 材料（1人分）

ミニトマト……8個
塩……少々
酢……小さじ1/2
オリーブ油……小さじ1

作り方

1 ミニトマトはヘタを取って洗う。

2 水気をよくきり、半分に切る。

3 ボウルに塩、酢、オリーブ油を入れて混ぜ、ミニトマトをあえる。

レベル ●○○

キャベツ炒め

10分

材料（2人分）

キャベツ……200g
サラダ油……小さじ2
塩……少々
こしょう……少々

芯も炒めると
おいしいよ！

作り方

1 キャベツは洗って芯を切りはずす。葉は2～3枚ずつ重ねて3～4センチ四方に切る。芯は4センチ長さにし、タテに薄切りにする。

2 フライパンにサラダ油を入れて**中火**で熱し、油がスッと動くように温まったらキャベツを入れてさっと炒める。

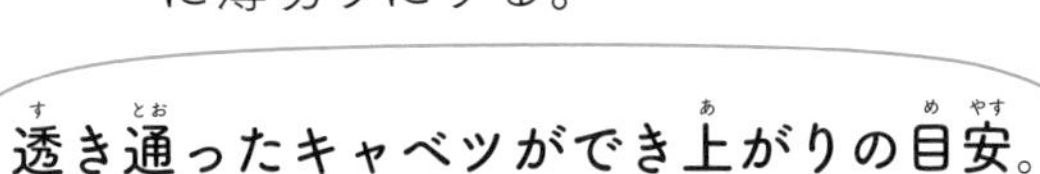

3 水大さじ1（分量外）をふりかけ、キャベツが透き通るまで**中火**で炒める。

4 塩、こしょうをふり、さっと混ぜる。

レベル ●○○

ほうれん草のソテー

15分

材料（1人分）

ほうれん草	60g
バター	5g
塩	少々
こしょう	少々

ほうれん草にアク抜きが必要な理由

切ったほうれん草を炒める前にゆでる理由は、アクに含まれる「シュウ酸」を減らすためです。シュウ酸は摂りすぎると結石という病気にかかる恐れがあります。

作り方

1 ほうれん草は数本ずつほぐして洗う。

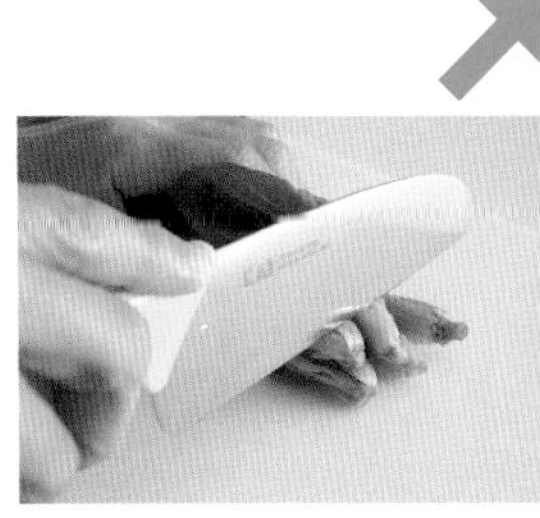

2 根元を1センチほど切り落とし、4センチ長さに切る。

3 ボウルに水を張っておく。**中火**で鍋にたっぷりの湯を沸騰させる。ほうれん草を取っ手つきのザルに入れて鍋に入れ、菜ばしでほうれん草を押さえて沈める。沸騰してから1分ゆでる。

4 ほうれん草は、取っ手つきのザルごと取り出しボウルに張った水につける。冷めたら水気をしぼる。

5 フライパンにバターを入れて溶かし、ほうれん草を入れて**中火**でさっと炒め、火を止める。バターの塩気があるのでほんの少しの塩とこしょうをふって混ぜる。

レベル ●○○

ハム

コーンマヨ

シュガー

1枚あたり 各5分

いろんなトースト

ハム

材料（1人分）

食パン（6枚切り）…… 1枚
★バター …………………………… 5g
ロースハム ………………… 1枚

★バターは室温でやわらかくしてから使おう。

作り方

1 食パンにバターをぬる。

2 ロースハムをのせる。

3 オーブントースターでパンの周囲に焼き色がつくまで焼く。

コーンマヨ

材料（1人分）

食パン（6枚切り）…… 1枚
マヨネーズ ………… 大さじ1
ホールコーン …… 大さじ2
ピザチーズ ………………… 15g

作り方

1 食パンにマヨネーズをぬる。

2 ホールコーンとピザチーズをちらす。

3 オーブントースターでパンの周囲に焼き色がつくまで焼く。

シュガー

材料（1人分）

食パン（6枚切り）…… 1枚
★バター …………………………… 10g
砂糖 …………………………… 小さじ1

作り方

1 食パンにバターをぬる。

2 砂糖をふりかける。

3 オーブントースターでパンの周囲に焼き色がつくまで焼く。

レベル ●○○

卵(たまご)サンド

10分(ぷん)

材料(ざいりょう)(1人分(ひとりぶん))

食(しょく)パン(厚(あつ)さ1センチ、8枚切(まいぎ)り) …… 2枚(まい)

かたゆで卵(たまご)(作(つく)り方(かた)は18ページ) …… 1個(こ)

マヨネーズ …… 大(おお)さじ1

塩(しお) …… 少々(しょうしょう)

こしょう …… 少々(しょうしょう)

★バター …… 小(こ)さじ1

★バターは室温(しつおん)でやわらかくしてから使(つか)おう。

関東(かんとう)と関西(かんさい)ではさむ卵(たまご)は違(ちが)う?

この本(ほん)で紹介(しょうかい)している卵(たまご)サンドは「卵(たまご)サラダ」タイプで、コンビニでもよく見(み)かけるものです。京都(きょうと)、神戸(こうべ)、大阪(おおさか)など関西(かんさい)のお店(みせ)ではオムレツや厚焼(あつや)き卵(たまご)をはさんだ卵(たまご)サンドも人気(にんき)があります。

作(つく)り方(かた)

1 ゆで卵(たまご)は殻(から)をむき、フォークであらくつぶす。

2 1にマヨネーズ、塩(しお)、こしょうを入(い)れて混(ま)ぜる。

3 食(しょく)パン2枚(まい)の片面(かためん)にバターをぬる。

4 1枚(まい)のバターをぬった面(めん)に2をのせて平(たい)らに四隅(よすみ)までのばす。

5 もう1枚(まい)を、バターをぬった面(めん)を下(した)にしてのせて上(うえ)から軽(かる)く押(お)さえる。

6 3等分(とうぶん)に切(き)る。

レベル ●○○

野菜(やさい)サンド

10分(ぷん)

● 材料（1人分）

食パン（厚さ1センチ、8枚切り）……2枚
レタス……1枚
トマト……1/2個
★バター……小さじ1
マヨネーズ……大さじ1

★バターは室温でやわらかくしてから使おう。

アレンジを楽しんでもOK

焼いたベーコンをはさむとＢＬＴ（ベーコンレタストマト）サンドに。ちょっと豪華なサンドにアレンジして楽しみましょう。

バターは野菜の水気がパンにしみ込むのを防ぐよ。

作り方

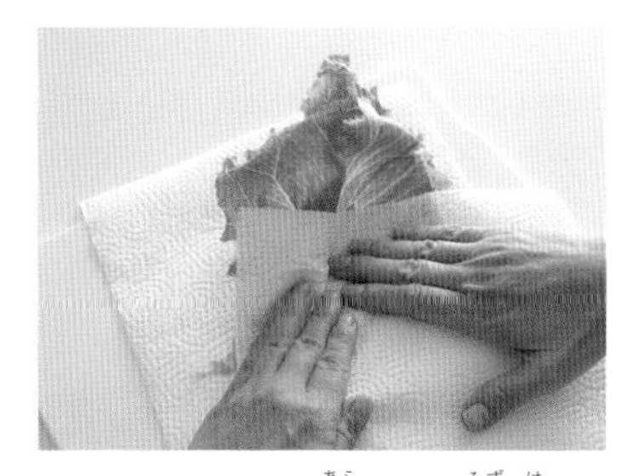

1 レタスは洗って水気をきり、キッチンペーパーではさみ、水気をとり、平らにつぶす。

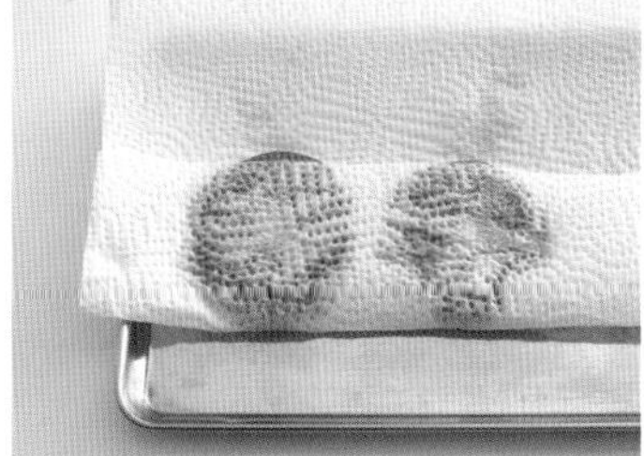

2 トマトは1センチ厚さの輪切りにし、キッチンペーパーにのせて水気をとる。

3 食パンの片面にバターをぬり、もう1枚の片面にマヨネーズをぬる。

4 1枚のバターをぬった面にレタスとトマトをのせ、もう1枚をマヨネーズをぬった面を下にしてのせて上から軽く押さえる。

5 半分に切る。包丁を入れたらパンがずれないように上から押さえる。包丁は手前に引くように切る。

レベル ●○○

フルーツサンド

10分

材料（２人分）

食パン（厚さ１センチ、８枚切り） ……… ４枚
キウイフルーツ ……… １個
バナナ ……… ２本
ホイップクリーム ……… 200mL

缶詰のフルーツを使ってもOK

生の果物がなくても、みかんや黄桃、パイナップルなどの缶詰を使ってもおいしくできます。

この切り方もきれいな断面のポイント！

作り方

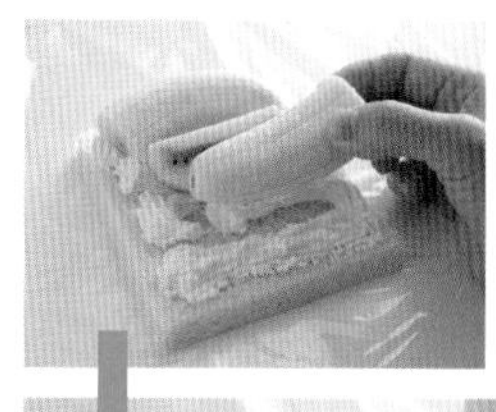

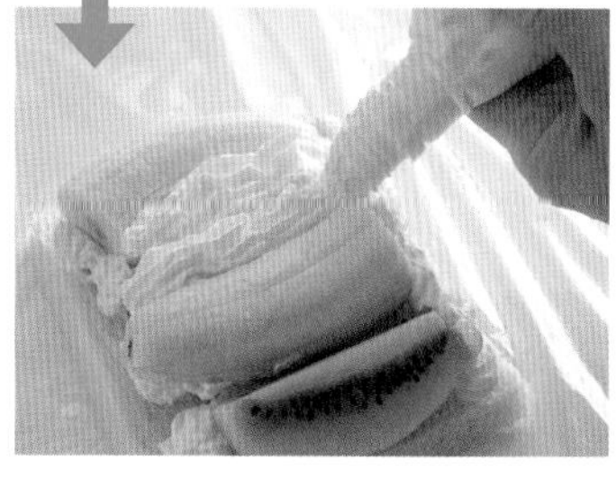

1 キウイフルーツは皮をむきタテ４つに切る。バナナは皮をむき、長さを半分に切る。

2 パンはみみを切る。ラップを敷いてパンをタテ長に置く。ホイップクリームを絞る。

3 バナナとキウイフルーツを交互にのせる。そのすきまにホイップクリームを絞る。バナナとキウイフルーツの上にもぬる。

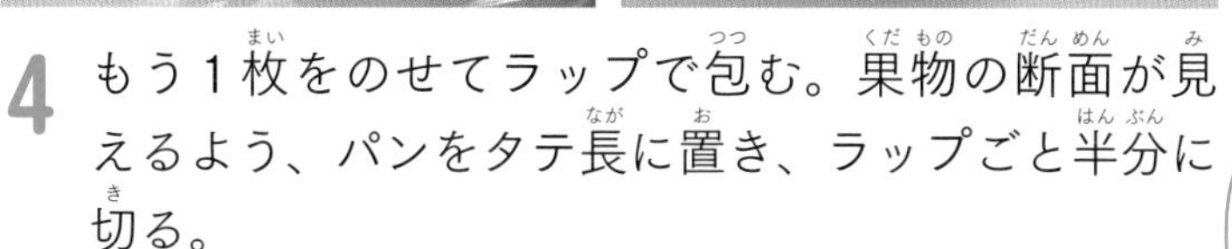

4 もう１枚をのせてラップで包む。果物の断面が見えるよう、パンをタテ長に置き、ラップごと半分に切る。

ラップごと切ることでフルーツとクリームが安定するよ。

ごちそうごはんを作ろう！

鮭のムニエル

レベル ●○○

フライパンを使って

● 材料（1人分）

生鮭	1切れ（90g）
塩	少々
こしょう	少々
薄力粉	適量
サラダ油	小さじ1
バター	10g

〈つけ合わせ〉

トマトのサラダイタリア風（作り方は26ページ）	3個分

作り方

1 鮭はキッチンペーパーで水気をふく。

2 バットに塩を少しふり鮭をのせ、上からも塩をふる。こしょうもふり5分おく。

3 薄力粉を全体にまぶし、余分な粉をはらう。

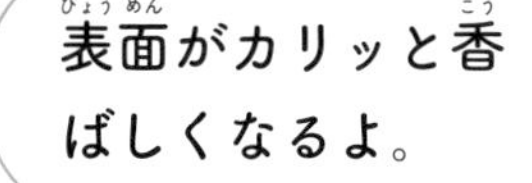

4 フライパンにサラダ油を熱し、鮭の皮を上にして入れる。**中火**でおいしそうな焼き色がつくまで焼く。

5 裏返してフタをして、蒸し焼きにする（2～3分）。菜ばしで上から押さえてかたくなったら焼き上がりの合図。

バターの香りをまとわせて。

6 バターを入れて鮭にからめる。

7 皿に取り出しフライパンのバターをかけ、トマトのサラダイタリア風を添える。

チャーハン

電子レンジを使って

レベル ●○○

10分

材料（1人分）

ごはん	150g
ロースハム	2枚（20g）
細ねぎ	2本
卵	1個
ごま油	小さじ1
塩	小さじ1/4
こしょう	少々

作り方

1 ハムは1センチ四方、細ねぎは小口切りにする。

2 ボウルに卵を割り入れ菜ばしで溶く。ラップをかけ電子レンジ600Wで1分加熱する。

3 ヘラで細かくして炒り卵のようにする。

4 3にハムとねぎを入れてごま油、塩、こしょうを混ぜる。

5 ごはんをのせる。

6 ラップをかけ電子レンジ600Wで1分30秒加熱する。

7 取り出したらすぐに混ぜる。

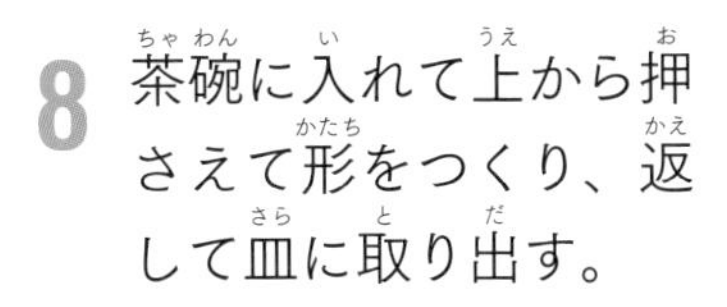

8 茶碗に入れて上から押さえて形をつくり、返して皿に取り出す。

チャーハンは温かいごはんを使って

この本では電子レンジを使ったチャーハンの作り方を紹介していますが、フライパンで作るときにも冷ごはんではなく、温かいごはんを使うこと。温かいごはんはほぐれやすいのでダマになりにくく炒めやすいのです。

肉もやし炒め

レベル ●○○

フライパンを使って

材料（1人分）

豚こま切れ肉 …… 60g
塩 …… 少々
こしょう …… 少々
もやし …… 100g
サラダ油 …… 小さじ2
しょうゆ …… 小さじ1

もやしは生のまま食べないで！

もやしは生のまま食べると食中毒のリスクがあります。また、生のままでは青臭さが気になる場合がありますが、加熱すると気にならなくなります。

作り方

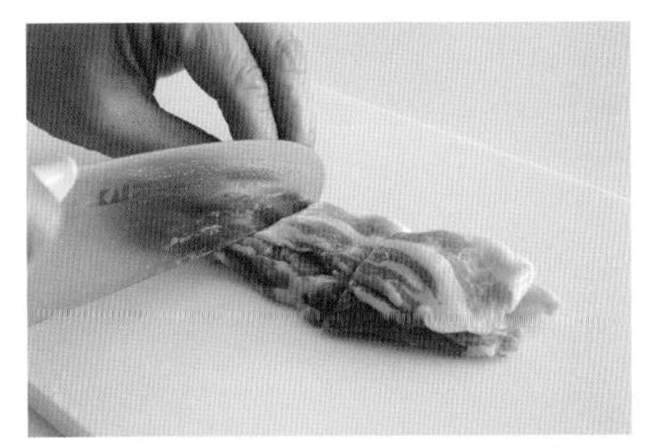

1 豚肉は4センチ長さに切り、塩、こしょうをふる。

2 もやしは洗い、ザルにあげる。

もやしは一度取り出すのが、おいしくなるポイント。

3 フライパンにサラダ油小さじ1を熱し、もやしを入れて**中火**でさっと炒め、水大さじ1（分量外）をふりかけて透き通るまで炒める。バットに取り出す。

4 フライパンをふき、サラダ油小さじ1を熱し、豚肉を広げて入れて**中火**で焼く。火が通ったらしょうゆをふりかけてサッっと炒め、もやしを戻し入れて炒め合わせる。塩、こしょう少々をふる。

ソース焼(や)きそば

レベル ●●○

電子(でんし)レンジとフライパンを使(つか)って

15分(ふん)

● 材料（1人分）

焼きそば用の麺	1袋（150g）
添付の粉末ソース	1袋
豚こま切れ肉	40g
もやし	50g
キャベツ	50g
にんじん	25g
サラダ油	小さじ1

慣れたらアレンジを楽しんで

焼きそばの上に目玉焼き（作り方は19ページ）をのせたり、付属の粉末ソースのかわりに塩こしょうを使って塩やきそばにしたりと、お気に入りを見つけてください。

作り方

1 麺の袋に3～4箇所、菜ばしで穴を開け、電子レンジ600Wで1分加熱する。

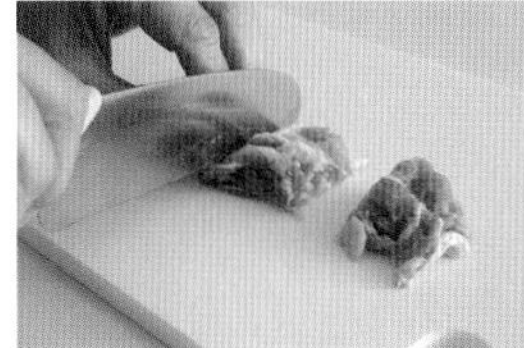

2 豚肉は2～3センチ幅に切る。もやしは洗ってザルにあげて水気をきる。キャベツは4センチ長さ1センチ幅に切る。にんじんは4センチ長さ1センチ幅の薄切りにする。

3 フライパンにサラダ油を**中火**で熱し、豚肉を炒める。肉が白くなったらにんじん、キャベツ、もやしの順に炒める。水大さじ1（分量外）をふりかけてやわらかくなるまで炒める。

4 1の麺をほぐして入れて炒め、粉末ソースをふりかけて混ぜながら**中火**でさっと炒める。

ひとくちお好み焼き

レベル ●●○

フライパンを使って

20分

材料（1人分）

キャベツ……100g
細ねぎ……2本
豚バラ薄切り肉……2枚（40g）
サラダ油……小さじ1

〈生地〉
卵……1/2個
だし汁……1/4カップ
（水1/4カップ、和風だしの素少々）
塩……少々
薄力粉……40g

お好み焼きソース……適量
マヨネーズ……適量
青のり……少々

作り方

1 キャベツは6〜7ミリ角に切る。細ねぎは小口切りにする。豚肉は6〜7センチ長さに切る。

2 ボウルに卵を割って入れ、だし汁、塩、薄力粉の順に入れて混ぜる。

小さいサイズは子どもでも裏返しやすい！

3 2にキャベツと細ねぎを加えて混ぜる。

4 フライパンにサラダ油を**中火**で熱し、3の生地をおたま1杯くらい入れて薄く広げる（厚さ1センチくらい）。

フタをしてね。

マヨネーズは勢いよくかけるときれいな線に。

5 豚肉をのせ、フタをして6〜7分**弱火**で焼く。

6 裏返し、火が通るまで5分ほど**弱火**で焼く。

7 取り出してソース、マヨネーズをかけ、青のりをふる。

ハンバーグ

レベル ●●○

オーブントースターを使って

15分

材料（1人分）

合いびき肉 …… 100g
塩 …… 少々
こしょう …… 少々
パン粉 …… 大さじ2
牛乳 …… 大さじ2
バター …… 5g（焼くときにのせる）

〈ソース〉
トマトケチャップ …… 大さじ1
ウスターソース …… 小さじ1

〈つけ合わせ〉
ほうれん草のソテー
（作り方は28ページ）…… 少々

作り方

1 ボウルにひき肉、塩、こしょうを入れて手でよくこねる。

2 パン粉に牛乳を加えて混ぜる。**1**に加える。

3 やわらかい肉だねになるように水大さじ1（分量外）を加えて混ぜる。

4 手で楕円形に整えアルミホイル（つかないタイプ）にのせ、のばして1センチの厚さにする。バターをちぎってのせる。

5 オーブントースターに入れて焼く。焼き色がつき、中心に竹串を刺して澄んだ肉汁が出るまで高温で7〜8分焼く。

6 ソースを作る。ケチャップとウスターソースを混ぜてハンバーグソースにする。ほうれん草のソテーを添える。

豚のしょうが焼き

レベル ●●○

フライパンを使って

10分

材料（1人分）

豚薄切り肉
（肩ロース、ロース、ももなど）
…… 100g
サラダ油 …… 小さじ1/2
レタス …… 1枚

〈タレ〉
しょうゆ …… 大さじ1
砂糖 …… 小さじ1
しょうが …… 1/2かけ

作り方

1 レタスは洗ってちぎり、ザルに入れて水気をきり、器に盛る（24ページのレタスのサラダを参考に）。

2 しょうがは繊維に直角にすりおろす。

手を切らないように注意。

3 タレのしょうゆ、砂糖、しょうがを混ぜる。

4 豚肉は長ければ7～8センチ長さに切り、バットに広げる。

上手に焼けるようになるべく重ならないように広げて。

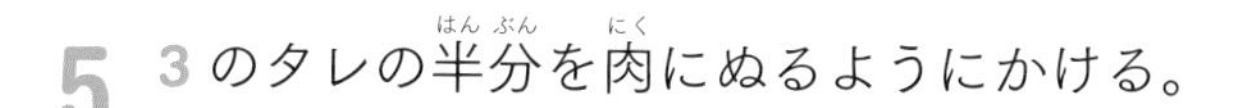

5 3のタレの半分を肉にぬるようにかける。

タレは半分は焼く前に、半分は焼くときに。

6 フライパンにサラダ油を入れて**弱めの中火**で熱し、豚肉を広げて入れる。焼き色がついたら裏返して焼く。豚肉が焼けたら残りのタレをかけてさっと混ぜ、火を止める。

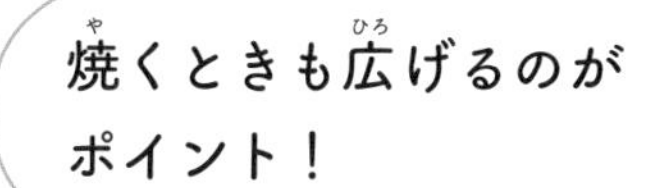

7 レタスと一緒に皿に盛り付ける。

ラーメン

レベル ●●○

鍋を使って

材料（1人分）

インスタントラーメン……1袋
もやし……50g
カットワカメ……小さじ1
ゆで卵（作り方は18ページ）……1個
水……インスタント麺の袋に書かれている分量＋大さじ2

10分

作り方

1 もやしは洗う。カットワカメは水につけて戻し（5分くらい）、水気をきる。ゆで卵は半分に切る。

2 鍋にインスタント麺の袋に書かれている分量に大さじ2を足した水を煮立て、もやしを取っ手つきのザルに入れて沈め、フタをして**中火**で1分ゆでて取りだす。

3 2の鍋を沸騰させ、麺を入れ、菜ばしでほぐし、**弱火**で袋に書かれた時間ゆでる。

4 火を止めスープを加えて混ぜる。

5 器に盛る。もやし、ワカメ、ゆで卵をのせる。麺がのびないうちに作ったらすぐ食べる。

とん汁

鍋を使って

レベル ●●○

20分

材料（2人分）

豚こま切れ肉	40g
大根	80g
にんじん	20g
ねぎ	6センチ
サラダ油	小さじ1/2
水	2と1/4カップ
和風だしの素	小さじ1/2
みそ	大さじ1と1/2

アクはどうしてすくうの？

汁物を煮ていると、表面に濁った泡が出てきますが、これがアクです。アクは食材から出てくる渋みやえぐみ、臭みの原因となります。3の豚肉から出たアクはすくい取りましょう。

作り方

1 豚肉は幅2センチに切る。大根は5ミリ厚さのいちょう切りにする。にんじんは薄い半月切りにする。ねぎは1センチ幅の輪切りにする。

2 鍋にサラダ油を熱し、豚肉を入れて**中火**でサッと炒める。

3 大根、にんじん、ねぎ、水と和風だしの素を入れて**中火**で煮る。煮立ったら**弱火**にしてアクをすくう。フタをして野菜がやわらかくなるまで12〜13分煮る。

4 みそを溶き入れる（ザルに入れて溶かすか器に煮汁を入れてときのばす）。一度沸騰させて火を止める。

チキンカレー

レベル ●●○

鍋を使って

20分

●材料（1人分）

鶏もも肉	60g	サラダ油	小さじ1
たまねぎ	1/4個（60g）	水	1と1/4カップ
にんじん	25g	カレールウ	1片（25g）
じゃがいも	1/2個（60g）	温かいごはん（作り方は14ページ）	150g

作り方

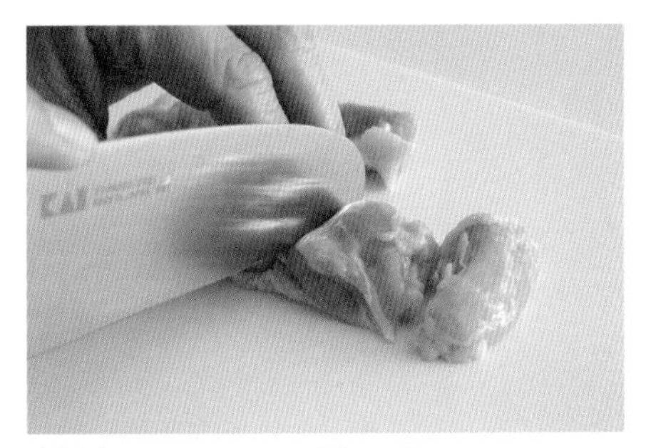

1 鶏肉は2センチ角に切る。

豚肉やひき肉を使ってもおいしいよ。

2 たまねぎは1センチ角、にんじんも1センチ角に切る。じゃがいもはピーラーの先で芽を取り、皮をむいて2センチ角に切り、水（分量外）にさらし、水気をきる。

煮立ったらフタをしてね。

3 鍋にサラダ油を熱し、たまねぎを**中火**で炒める。茶色に色づいたら火を止めて鶏肉を加えて混ぜ炒める。

4 **中火**にし、にんじん、じゃがいもを炒める。水を加え、煮立ったらフタをして**弱火**で10分煮る。

5 火を止めてカレールウを入れて溶かす。再び**弱火**にかけ、鍋底をはがすようにヘラで混ぜながら2～3分煮る。

6 でき上がったら深さのある皿にごはんを盛り、チキンカレーをかける。

ミートソーススパゲティ

レベル ●●○

フライパンと鍋を使って

25分

● 材料（1人分）

- 合いびき肉 …… 80g
- たまねぎ …… 100g
- バター …… 10g
- 薄力粉 …… 小さじ1
- トマトケチャップ …… 1/4カップ（50g）
- コンソメ顆粒 …… 小さじ1/2
- しょうゆ …… 小さじ1
- スパゲティ …… 100g
- 粉チーズ …… 適量

作り方

1 たまねぎはみじん切りにする。

8ページに上手にできるポイントがあるよ！

2 フライパンにバターを煮とかし、たまねぎを入れて混ぜ、広げて弱めの**中火**で炒める。ときどき混ぜながら2分ほど茶色に色づくまで炒める。

3 ひき肉を入れてたまねぎと混ぜ、ヘラでかたまりをつぶして炒める。

ひき肉がかたまらないよう、しっかりつぶそう。

4 薄力粉を混ぜたあと、トマトケチャップを入れて1分ほど炒める。

香ばしくおいしそうな色になっていく。

5 水1カップ（分量外）、コンソメ顆粒、しょうゆを加えてフタをして**弱火**で10分煮る（途中でときどき、焦げないように鍋底をヘラではがすように混ぜる）。

6 鍋に湯5カップを沸騰させ、塩小さじ1（分量外）を入れ、スパゲティを半分に折って入れる。入れたらすぐ混ぜる（麺がくっつかないように）。**弱火**で袋の表示時間通りにゆでる。

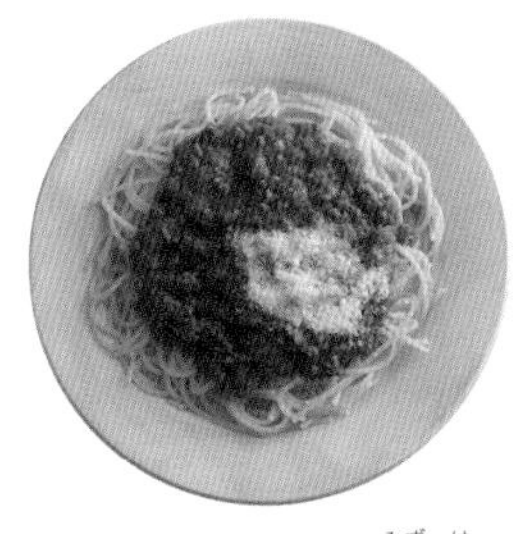

7 ザルにあげて水気をきる。皿に入れ、ミートソースをかけ、粉チーズをふる。

パスタとスパゲティの違いは？

日本では「パスタ」と「スパゲティ」が同じように使われていますが、「スパゲティ」は「パスタ」の一種で、1.7ミリ～2.0ミリくらいの太さの細長いそば状のパスタを指します。太さや形状によって呼び方が変わります。

ピザ

レベル ●●●

オーブントースターを使って

70分

● 材料（２人分：２枚分）

〈ピザ生地〉

A	強力粉	75g
A	薄力粉	75g
A	塩	小さじ1/2
A	砂糖	小さじ１
B	ドライイースト	小さじ１
B	ぬるま湯	1/2カップ
B	オリーブ油	小さじ１
	強力粉（打ち粉用）	適量

〈ソース〉

- トマトケチャップ……大さじ２
- オリーブ油……小さじ１

〈具〉

- ピーマン……１個
- オリーブ油……小さじ1/2（ピーマンにまぶす）
- ベーコン（薄切り）……30g
- ピザチーズ……80g

作り方

1 Aを混ぜて取っ手つきのザルに入れ、ボウルにふるい入れる。

2 別の小さいボウルにBのぬるま湯とドライイーストを入れて5分おいたらオリーブ油を加え、1に加えてヘラで混ぜてまとめる。ボウルの中で生地がなめらかになるまでよくこねて丸める（5分）。

3 生地を入れたボウルを湯（体温くらいの温度）を張ったボウルにのせる。全体をラップでおおい30分発酵させる。

4 生地が2倍くらいの大きさになったら2つに分け、それぞれを強力粉（打ち粉用）をふったまな板の上でヨコ20センチ、タテ15センチ（トースターの天板の大きさに合わせて）の大きさにめん棒でのばす。もう1つも同じようにのばす。

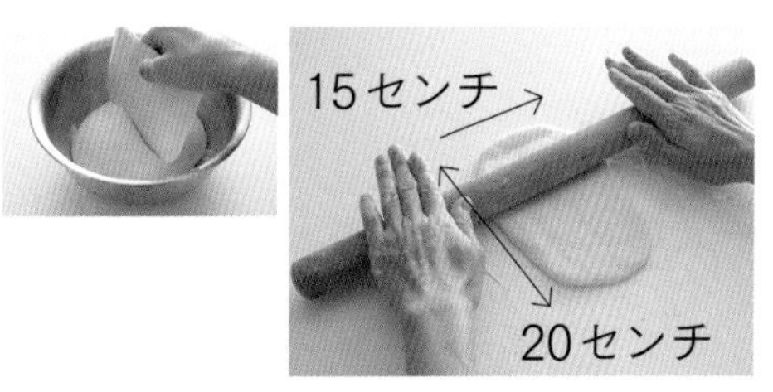

5 ピーマンはタネをのぞいて輪切りにし、オリーブ油小さじ1/2をまぶす。ベーコンは2～3センチ長さに切る。ソースの材料を混ぜる。

6 オーブントースターの天板にオリーブ油（分量外）をぬったアルミホイル、またはくっつかないホイルをのせ、ピザ生地をのせる。ソースをぬり、チーズをちらし、ピーマンとベーコンをのせる。この状態で15分ほど発酵させたあとオーブントースターに入れ、10～12分焼く。

マカロニグラタン

レベル ●●●

鍋とオーブントースターを使って

30分

材料（1人分）

ロースハム……2枚（20g）
マカロニ……30g
ブロッコリー……30g
ピザチーズ……15g

〈ホワイトソース〉

バター……10g
薄力粉……大さじ1
牛乳……150mL
塩……少々

作り方

1 ロースハムは1センチ四方に切る。

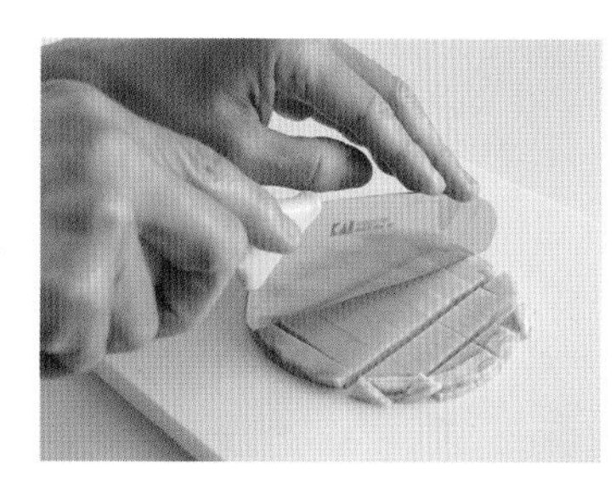

2 鍋に湯5カップを**中火**で煮立て、塩小さじ1（分量外）を加えて混ぜ、マカロニを入れて**弱火**でやわらかめにゆでる（袋の表示時間より1分長くゆでる）。

3 ブロッコリーを小房に分けてマカロニのゆであがり3分前に湯に入れて、一緒にゆでる。ザルにあげる。

ホワイトソースを作る

4 鍋にバターを入れて**弱火**で煮溶かし、火からおろす。

5 薄力粉を入れてよく混ぜ（❶）、混ざったら**弱火**にかけ1分ほど炒める。写真（❷）のような状態になったら火からおろす。

6 牛乳50mLを加えてヘラでよく混ぜ均一にする（❸）。混ざったら牛乳大さじ1杯ずつを加えて混ぜ（❹）、混ざったら次を加える。全部混ざったら**中火**にかける（❺）。煮立ったら**弱火**にし混ぜながらとろりとするまで（マヨネーズくらいのかたさ）煮つめ、塩を加える（❻）。

1

2

3

4

5

6

7 グラタン皿にマカロニ、ハム、ブロッコリーを入れ、6のソースをかけ、チーズをちらす。

8 オーブントースターで焼き色がつくまで7〜8分を目安に焼く。

電子レンジやオーブントースターを使うときの注意点

◆電子レンジはワット数を必ず確認する

500W(ワット)	600W(ワット)	700W(ワット)
1.2倍	基準	0.8倍
1分10秒	1分	50秒
1分50秒	1分30秒	1分20秒
2分20秒	2分	1分40秒
3分	2分30秒	2分10秒
3分40秒	3分	2分30秒
4分10秒	3分30秒	3分
4分50秒	4分	3分30秒
5分20秒	4分30秒	3分50秒

電子レンジの加熱時間はメーカーや機種によって違います。この本では600Wの時間を掲載しています。使用する電子レンジは大人と一緒に表を見ながら確認しましょう。

◆オーブントースターはやけどに注意！

◆アルミホイルを電子レンジで加熱するするとこんなに危険！

★火花がでる

★「バチッ」と音がする

★爆発する

★レンジの扉のガラスが割れる

絶対にやめましょう！

使っているときや使用後しばらくはオーブントースター本体や庫内、加熱された食品などがとても熱くなっていて、やけどをする危険があります。取っ手以外の部分に触らないようにしてください。

おいしいごはんのために大切なこと

おいしい食事を楽しむためには、レシピ通りに作るだけでなく、衛生環境を整えたり、作る人、食べる人の心に目を向けることも大切です。

この章では、読み物やイラスト図解を通して、レシピ以外の知識を身につけてください。

衛生管理の知恵

エプロンをつけるのはなぜ？

炒め物の油はねや洗い物の水はねで洋服が汚れるのを防ぎ、食べ物を清潔に扱うためにエプロンをつけましょう。

エプロンをつける

エプロンを体の前にあて、首ひもの輪の中に頭を通します。そのあと、腰ひもを背中側で結びます。

こちらは汚れやすいお腹から下だけを覆う前掛けエプロンです。

手を洗う

①軽く手をすすぐ

両手をこすりながら軽く汚れを落とします。

②せっけんを泡立てる

手のひらでせっけんをよく泡立てます。

③手のひらを洗う

片方の手のひらの上にもう片方の指を立ててこすり、指先や爪の先を洗います。

④指のまたを洗う

手を組んで指のまたをよくこすって洗います。

⑤親指を洗う

親指を片方の手でつかんで、上下にこすります。

⑥手首を洗う

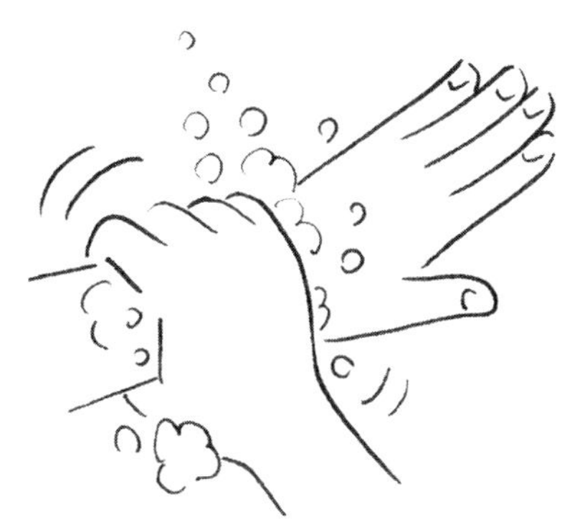

片方の手首をつかんで回すように洗い、水で流します。

食中毒を防ぐ

料理をするときに大切なのは、健康を害する食中毒を防ぐことです。O157やカンピロバクターなど、細菌、ウイルス、寄生虫を原因とする食中毒は、年間を通して発生しています。

①まな板や包丁は「生肉・生魚を切る用」と、「野菜用」を分ける

お肉を切るときに、まな板の上に切り開いて平らにした牛乳パックやまな板シートをしくなどして、直接まな板に触れさせない工夫をします。

②肉を切ったときは、そのつど、調理器具や手を洗う

調理の前だけでなく、生肉を切ったり触ったりしたら、すぐにしっかり洗いましょう。

③肉はしっかり加熱することが大事

ひき肉や厚みのある鶏肉も、しっかり中心まで加熱しましょう。

④じゃがいもの食中毒に注意

じゃがいもには加熱しても減らない毒素（ソラニンやチャコニン）があります。じゃがいもに芽があれば、そのまわりの部分も含めて取り除きましょう。皮に緑色の部分があったら、皮を厚めにむき、緑色の部分のまわりもしっかり皮をむきましょう。

⑤加熱したカレーを保存するときは必ず冷蔵庫へ

カレーは実は傷みやすい食べ物です。常温での放置は避け、冷蔵庫か冷凍庫で早めに保存してください。

◆知ってる？　お皿とお茶碗の並べ方

左　ごはん
右　汁物
真ん中　おかず

日本には昔から「左優位」という考え方があり、主食であるお米は古くから日本人にとってとても大切なものであることから、ごはんを左側に置く配膳が定着したと言われています。

食卓の準備

食卓を片付けてふきんで拭く

①片付ける

テーブルの上に置いているものを片付けます。

②除菌ふきんを用意する

ふきんにアルコール除菌剤をスプレーします。

③テーブルを拭く

テーブルを端から端までしっかりふきます。

ポイント

ときにはテーブルクロスを敷いてテーブルが汚れるのを防いだり、お客さんをもてなすのもいいでしょう。お誕生会などで試してみましょう。

食器や調理器具の後片付け

茶碗・皿・漆器の洗い方

茶碗・皿

①汚れを落とす

汚れを水で下洗いします。油汚れなどはキッチンペーパーでふきとってから。

②洗う

洗剤をつけたスポンジでこすり、内側やくぼみを中心に汚れを落とします。

漆器

洗う

漆に傷がつかないように水で流し、やさしく汚れを落とします。油汚れには洗剤を使っても大丈夫です。洗ったらすぐに、かわいたふきんで水気をふきましょう。

フライパンや包丁の洗い方

フライパン

①汚れをふき取る

フライパンはキッチンペーパーで汚れをふきとります。

②こげつきを取る

水につけてからしばらく置き、スポンジやたわしでこすります（素材によって使い分ける）。

③洗う

素材により変わります。フッ素加工のものは洗剤をつけたスポンジで洗います。スキレットなど鉄製のものは洗剤をつけずにたわしとお湯で洗い、ふき取ったあと火にかけてかわかしましょう。

包丁

①洗剤で洗う

洗剤をつけたスポンジをみね（刃の反対側）に当て、汚れを落としたら水ですすぎます。

②ふく

洗い流したらふきんで水気をふきます。手を切らないようにみねの部分にふきんを当てます。

まな板・ふきんの後片付け

まな板の殺菌

①ふきんでふく

食材を切り終わったらふきんやキッチンペーパーで汚れやにおいが残らないようにふき取ります。

②水洗いのあとお湯で洗う

水洗いをしたあとお湯で洗います。洗剤をつけたたわしでよくこすり、汚れを洗い流しましょう。

③漂白する

キッチンペーパーをまな板にのせ、キッチン用漂白剤をスプレーして5分から10分おきます。その後、水洗いをします。

④天日干しをする

天気のよい日に、庭やベランダなどで天日干しをし、殺菌します。

ふきんの殺菌

毎日する

①お湯で洗う

食器用ふきんと台ふきんは分けます。洗い桶にお湯を入れ、台所用洗剤で揉み洗いします。

②干す

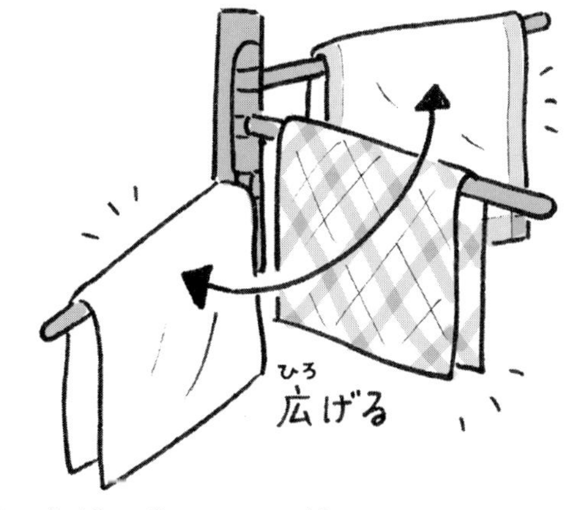

食器用、台ふきん用のふきんを干します。

ときどきする

①漂白する

洗い桶に水を張り、キッチン用漂白剤を入れて30分つけます。

②天日干しをする

天気のよい日にピンチハンガーで天日干しをします。

※漂白剤は各商品に記載されている使用上の注意をよく読んで、大人と一緒に使ってください。

シンクまわりのそうじ

● 生ごみの片付け

①水気をきる

生ごみの水気をよくきります。

②包む

新聞紙などにくるんでごみ袋に入れて縛り、生ごみ用ごみ箱に入れます。

③シンクの生ごみ入れを洗う

食器洗い用とは別のスポンジに洗剤をつけ、生ごみ入れを洗います。ときどき漂白しましょう。

④油の片付け

揚げ物などで使った油はよく冷まし、新聞紙などを丸めて入れた牛乳パックに入れ、ガムテープでとじます。

シンク内を洗う

①水と洗剤で洗う

食器洗い用とは別のスポンジに水を含ませ、シンク内を軽く洗ったあと、洗剤をつけ、こすり洗いします。

②からぶきする

水アカを防ぐためにかわいたふきんでシンク内をからぶきします。

排水口を洗う

①汚れを落とす

ごみ受け

排水口のごみを捨て、洗剤をつけた食器洗い用とは別のスポンジで汚れを落とします。

排水口

②ぬめりを取る

排水口とごみ受けに塩素系漂白剤をスプレーし、5分置いてから水で流します。

排水口のぬめりを防ぐ方法

丸めたアルミホイルを排水口に入れると排水口にぬめりがつきにくくなります。

保護者の方へ

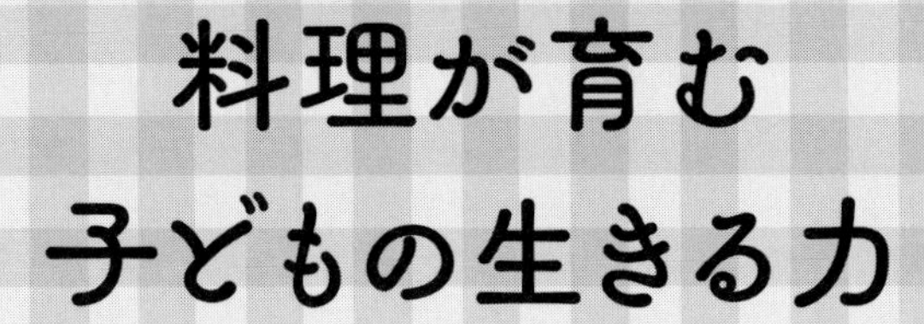

初心者でもやさしいレシピがあれば大丈夫

子ども向けふるさと料理教室で「めっちゃおいしい、おかわりしたい！」と大喜びしていた男の子の姿が印象に残っています。なるべくかんたんにできて、しかも食べるととってもおいしかった、という経験が子どものやる気を育てます。初心者でも、やさしいレシピと材料があれば、誰でも再現できるので、安心してください。また、「自分で作ったものを人に食べてもらって喜んでもらえた」という喜びは、一生の宝物になるでしょう。

安全のために
しっかり見守りを

調理は刃物や熱いものを扱うため、安全にできる状態にしましょう。たとえば水切りかごに包丁を入れてしまったり、熱いフライパンを放置したりするのは、調理する人にとっても、まわりの人にとっても危険です。調理中に揚げ物の油が飛んで怖い思いをしたのでできなくなった、という子もいます。調理をする際にも整理整頓が肝心です。子どもの自立を応援しながらも、そばで大人が見守りましょう。

失敗しても
楽しむことが大切

　ある男の子は、調理実習で焦がしてしまったホットケーキを机にしまって隠していたそうです。「失敗を見せたくない」「恥ずかしい」という思いが彼をそうさせてしまったのかもしれません。おうちで子どもが料理をする際には、ちょっとしたことでもいいのでほめてください。親から見ればうまくいっているように見えなくても、うまく気持ちを盛り上げて自信がつけば、子どもの自己効力感が高まり、自ら進んで家事をするようになって、親ものちのちラクになりますよ。

例えば……こんなことをほめてください。

◆おいしい、すごい！

◆また食べたいな。

◆作れるようになってくれてうれしい。

◆けがをしないで大根を切れたね。

◆テーブルをきれいにふいてくれて、ありがとう。

◆やけどをしないように、ちゃんとミトンをつけられたね。おいしくできたね！

◆おいしそうなおにぎりができたね！

◆ピザ生地をしっかりこねていて職人さんみたい。

◆汁物とごはんの位置をしっかり覚えていたね。

〈著者紹介〉

渡辺あきこ

料理研究家。料理学校の講師を務め、その後独立。現在は、雑誌、書籍、テレビ、新聞、講演会などで活躍中。和食を中心とした基本を踏まえた家庭料理を得意とする。著書に『毎日つくる園児のおべんとう』（大泉書店）、『渡辺あきこの東大合格ごはん』（主婦の友社）、『こどもが喜ぶスープジャーのお弁当』（世界文化社）など多数。

撮影　福岡　拓　　スタイリスト　中村和子　　調理アシスタント　中目聞子
装幀　村田隆（bluestone）
装画　渡邉美里　本文イラスト　井上るりこ
本文デザイン・組版　朝日メディアインターナショナル株式会社

キホンからごちそうまで！10歳からのひとりでお料理ブック

2024年4月8日　第1版第1刷発行

著　者　渡辺あきこ
発行者　村上雅基
発行所　株式会社PHP研究所
京都本部　〒601-8411　京都市南区西九条北ノ内町11
〔内容のお問い合わせは〕暮らしデザイン出版部 ☎075-681-8732
〔購入のお問い合わせは〕普及グループ ☎075-681-8818
印刷所　図書印刷株式会社

ISBN978-4-569-85676-6